MW00624368

BOCANADAS
y BESOS

Primera edición: enero 2016.
10,000 ejemplares.

Edición a cargo de Francisca T. Vázquez.

Colaboradora de edición: Estefanía Gudiño

Retratos del autor: Sean Hennessy Photography

ISBN 978-0-9969663-0-6
Impreso en Hong Kong.

MindofBrando.com

MIND *of* BRANDO

BOCANADAS *y* BESOS

Lucas H. Guerra

"En una primera página"

Cálamo, deja aquí correr tu negra fuente.
Es el pórtico en donde la Idea alza la frente
luminosa y al templo de sus ritos penetra.
Cálamo, pon el símbolo divino de la letra
en gloria del vidente cuya alma está en su lira.
Bendición al que entiende, bendición al que admira.

De ensueño, plata o nieve, esta es la blanca puerta.
Entrad los que pensáis o soñáis. Ya está abierta.

Rubén Darío.

Primavera, entrégame a esa mujer, préstame sus párpados para alumbrar mis noches, concédeme sus ojos para iluminar mis días. Regálame sus palabras para cantar mi vida.

Por ella te devuelvo los pájaros en su pelo, la selva que vive en sus ojos, el agua limpia del río en su boca.

Entrégamela y por sus labios borro del mundo el hambre, por su aroma destierro las guerras con pétalos de sus manos.

Primavera, entrégame a esa mujer, que por acariciar su alma, restauro lo que extinguimos, retorno lo que despojamos, reconstruyo lo que destruimos.

Primavera, entrégame a esa mujer, te la cambio por la lluvia y cien inviernos. ❧

Haz tuyos mis escombros. Abrázate al polvo en que me convertiste y ponle tu nombre. Encuéntrame esparcido entre la tierra seca, llamando tu agua. Y de mi sangre deja que nazca un río, para que llegue de nuevo a ti, para que me bebas; para que te ahogues en mí sin querer, y así me quieras. ❧

Requiero quererla. Sí, quererla. Y no le vengo a pedir permiso por voluntad o capricho, ya que esto no es algo que yo elijo. Más bien es una necesidad, como cuando la boca quiere agua, o el alma desea la mar. Requiero quererla aunque sea de lejos, aunque sea en silencio, o en mil cien versos y un invierno. Y si usted no comprende mi sentimiento, no se preocupe pues yo tampoco. Porque aunque lo he intentado muchas veces, nunca pude hacer nada para echarle riendas y domarlo. Es que este amor es muy valiente, muy arisco y no se deja mandonear, y hasta le diría que se parece un poco a usted. Así que no permita que este amor la asuste, y más bien haga lo que yo he hecho: déjelo ser, déjelo sentirla y déjese soñar. ✹

Hoy no vengo a hablarles de cielos, ni de jueves,
ni de despertares azules. Hoy vengo a cantarles
de una niña, a respirarles retazos de su voz, a
contagiarles el pan con su hermosura. Hoy vengo
a lloverles sus tristezas, para que sueñen en las
hebras de su pelo y acaricien su fuego. Hoy vengo
a contarles sus pasos para que crezcan en el musgo
de sus pies de árbol. Y si no entendieran; si no
escucharan sus colores o mataran sus inviernos;
si esta niña no bailara en sus tormentas y desafiara
la marea; se endulzaría la sal y el mar enamorado
moriría por ella. ✿

Eres un sueño que no puede pasar dos veces.
Así que no pases. Quédate. ℘

Ella necesitaba un abrazo a ojos cerrados.
De esos en los que uno se aferra al otro y a la vida.
De esos que convierten sus brazos en hogar,
fuego y azúcar. ❧

Y frenaste mi vida y te miraste en mis ojos.
Y al encontrarte en los míos no supe qué hacer,
y así, tentativo, simplemente te abracé. Y en ese
abrazo no encontré solo otros brazos, te encontré
a ti. Me encontré a mí. Encontré lo que me estaba
buscando. Pues mi cuerpo se entendía con el tuyo,
como si fueran los labios de una misma boca,
como si hubieran bailado mil canciones, como
si mil brazos antes que los tuyos nunca me
hubieran abrazado. ❧

Llegaste a mi vida a ocupar mis pausas.
A iluminar mis sombras. A cantarle a mis silencios.
A pintar matices de colores en mis sueños.

Y así mismo te fuiste adentrando en mi tiempo.
En el gusto de mis besos. En la forma en que mis
manos se amoldaban a tu cuerpo.

Llegaste a mi vida y te fuiste transformando en
ella. Como el árbol en sus hojas. Como el mar
en sus olas. Como tu amor en mi alma. ⤸

Serás poesía en mis besos.

Sueña. Sueña con lo que quieres, con lo que tienes y con lo que no. Sueña dormida o despierta, sin medida y sin miedo. Sueña como si tu sueño fuera verdad, y suéñate a ti misma en ese sueño. Sueña como si tu sueño fuera realidad, porque la realidad se teje de sueños. ❧

Cuando te duela el corazón, trata de disfrutarlo. Es que no hay muchas cosas que te estrujen el corazón. Y si te duele de verdad, es porque valió la pena. Así que abrázate al dolor, que cuando menos te das cuenta, el tiempo te enseña a volar de nuevo. ✦

La gente vive escapándose de la lluvia, tratando de no mojarse, de no arruinarse los zapatos, de no joderse el pelo. Pero de vez en cuando nos armamos de locura, nos abrazamos a la lucidez de ese momento y saltamos en los charcos, nos empapamos el alma, nos embriagamos en ese accidente de la naturaleza que somos nosotros mismos. ૭

Lávate la cara de tanta sombra, perfúmate de
luz y deja que el viento encienda tu nombre.

¡Apúrate, mujer!, que ya la primavera anuncia
que has llegado para ser vida. ∽

Cuando tengas que elegir entre el amor y tu amor propio, quédate contigo. Lo demás está de más. ✍

Lo mío no es una historia, ni un poema o un juego de letras. Lo mío es sentir en palabras. Porque, ¿quién dijo que las palabras no se aman, no viven, ni sienten, ni se cuentan cosas, o se besan en las comas, o sueñan con otros idiomas? Lo mío no es escribir, es sentir lo que dicen las palabras cuando aman. «

Sé feliz. Y si se te cruza un infeliz a tratar de contagiarte, no lo dejes. Después de todo, a la felicidad hay que protegerla como a una flor, con la pasión con la que se hace el amor, con las ganas con las que se mata el hambre, con la ira con la que se libra una guerra. ☺

Y cuando el mundo parece no querernos juntos,
ahí mismo te encuentro, te abrazo y te siento;
y hacemos de este amor un mundo nuevo. ❧

Las alas las tienes tú.
Me conformo con ser
el viento.

❧

MIND *of* BRANDO

Te quiero aquí, en mi boca. Para aprenderme el sabor de tu nombre. Para que tus ojos se nublen de lluvia. Para rezarte sin palabras. ❧

Y si quiero te invento aquí en mi cama, como si fueras otoño, noche de lluvia o domingo a la mañana. Y te invento mordiéndote la boca, agitándote en mis manos o dormida en el calor de mis brazos. Y si quiero me invento una vida contigo, donde te quiero; y eso no es un invento. ❀

Guárdame en el bolsillo de tu falda, ahí mismo,
cerca de tu sexo; y siénteme latir en cada paso
que te acerque a mí. Llévame amarrado al botón
de tu blusa, meciéndome en el vaivén de tus senos.
Déjame jugar en el sudor de tu escote y deslizarme
sobre una gota hacia la cicatriz de tu ombligo.
Mírame besarte los pies y pasearme por tus piernas
entre besos. Arráncame hasta el aliento y lléname
la boca de mujer. ❧

Siento tu mirada recorriéndome los hombros.
Y aunque estés a doscientos sesenta y cinco
centímetros de mí, tus manos me desvisten
sin tocarme. Y te devuelvo la mirada y sonrío,
y mi piel se eriza ante el hambre de tus ojos. ❧

Entre tus manos, entre tus brazos,
entre tus labios, entre tus piernas,
entre tus senos y tus sueños.

Entré a tu vida.
Entre tantas vidas. ✤

Véndame los ojos.
Átame las manos.
Lléname la boca de fruta.
Enciéndeme como si fuera luna.
Y extíngueme como si fuera fuego. ❧

Abrázame como te guste,
con tu boca,
con tus brazos
o tus piernas.

Abrázame como si me fueras a romper
y hacer tuyos mis pedazos.

Abrázame como quieras,
pero abrázame
hasta extinguirme el aliento;

y cuando termines,
respírame,

respírame como si te faltara el aire. ❧

Estás hecha de jugo, de semillas y de pulpa.
Estás hecha de la palabra suculenta, y de la razón
de la saliva. Estás hecha de tu ombligo para abajo
y para arriba, y para todos los idiomas que
desea fecundar mi lengua. 〜

En mis besos te sueño
como quiero.

MIND *of* BRANDO

Cómo no amarte, mujer, si tienes pájaros de otoño en el pelo. Si tienes frutas de bosque en los labios. Si tienes piel de agua de mar sereno. Cómo no amarte, mujer, si estás hecha de días de sol, tardes de lluvia y noches para que seas mía. ❀

He vivido en tantos océanos disfrazado de lluvia.
Naufragando desnudo hacia tus labios de plata.
Y un día me encontré inmerso en tu espejismo y
me hundí en la marea dulce de tu amor anfibio.
Y así intenté sobrevivir en ti, y me adapté al aire
de tu boca, y aprendí a comer de tus manos,
a beber de tus besos, a nutrirme de tu amor en
las corrientes de tu pelo. Pero un gris jueves de
tormenta, un aguacero caliente me recordó quién
era. Entonces me di cuenta de que mis brazos ya
no estaban hechos de agua, que no me llamaba
el mar, ni los barcos muertos, ni los faros. Y me
sentí perdido, muy perdido, y busqué mi reflejo
en el llanto de las olas; y al no encontrarme te
extrañé en el agua, y entendí a la lluvia por
volver al mar. ❀

A veces siento que no me quieres. Y quizás no
es culpa tuya y me quieres más que nunca. Pero el
miedo se me estanca en la garganta alambrado de
dudas. Entonces te busco en mí, y un poquito de tu
amor se me derrama; y lo anido entre mis manos y
lo bebo; y sabe a ti, y sabe a nuestro, y vuelvo a
saber que me quieres. ❦

Sé que un diluvio de lágrimas se aproxima.
Y con cada gota que caiga, te quiero llorar así.
De a una lágrima. Como lluvia de primavera.
Como tormenta de verano. Como tempestad
al mar.

Tengo once palomas atascadas en el pecho.
A veces cantan como jilgueros, otras picotean
como cuervos. Y algunas veces, cuando la sienten
cerca, la confunden con la libertad que sueñan.

Entonces se ponen de acuerdo, y revolotean en
grupo buscando emigrar por mi boca. Pero de
repente ella me besa, y apacigua todos mis cielos;
y con eso les basta para querer quedarse,
tan solo por respirar su aire. ❧

No habrá más color. Nunca más habrá color.
Ni los pájaros azules, ni las violetas violetas
podrán existir en los matices de tu nombre.

Sin ti, todo se volverá al revés; saldrá la luna a
opacar el día, llegará el sol a inundar la noche.

Y yo, ciego de sombras, buscaré por siempre el
color de tus ojos; que me digan que me quieres,
que me digan que volverás; y contigo,
la primavera. ❦

Tengo una tristeza que me horada el alma,
que me consume como el tiempo, que viene
y va en cada luna.

Tengo una tristeza testaruda, que no entiende
de tiempos ni geografías; que se parece a la
lluvia, que se asemeja al invierno.

Tengo una tristeza tan triste, que me calla
los labios, me pinta los ojos y se asoma como
el mar a rebalsar mis párpados.

Tengo una tristeza rebelde y hermosa,
con nombre de mujer, con gusto a su piel
y aroma a su recuerdo. «

A veces pienso que toda la poesía ya se ha escrito.
Entonces entras por la puerta, y tu pelo me saluda
y me dice cosas, y tus manos juegan con la luz de
la ventana que te acaricia la piel desnuda; y yo me
pongo celoso y empiezo a besarte en palabras,
a conjugar tus besos y tu voz con el aire. Y de
repente, las letras me desbordan y te plasmo por
un minuto en papel, por un ratito en mis manos,
y por una vida en mi pecho. Y así te escribo,
sabiendo que toda la poesía todavía no se
ha escrito. ❀

Estamos a dos planetas y
un abismo y medio de distancia,
y te siento más cerca que nunca.

MIND *of* BRANDO

Vengo en defensa de una idea. Y esa idea es bien simple: te quiero. Y la idea de quererte abarca un día y muchos días; una noche y muchas noches; y una vida. Vengo en defensa de este amor, y esa es mi idea. ⌒

Dime cómo le pido a mi corazón que ya no
te sienta. Cómo le digo a mis venas que ya
no te fluyan. Cómo le explico al agua que
ya no será mar ni lluvia. ✿

No me conformo con un beso, tu cuerpo
y una noche. Me conformo con tu vida;
y te pago con la mía. 🖤

Te escribo como si fueras mi noche.
Porque cuando duermes te imagino aquí,
en mi pecho, queriéndote. Y si quiero,
te imagino despierta acariciándote, o quizás
dormida, soñándome; entonces me acuesto
a tu lado, me acoplo a tu espalda, y así
despacito, me abrazo a tu sueño. ❧

No me quieras como yo te quiero. Porque aunque me gustaría, no te lo recomiendo. Quererte como yo te quiero duele, como un buen amor sabe doler, como duele el alma cuando ama en silencio, como duele una lágrima justo antes de nacer. No me quieras como yo te quiero, amor. Mejor quiéreme de lejos, como tú bien sabes hacerlo. ❝

Amo el lenguaje de tus senos, el valle de tu espalda, y cada recoveco de tu cuerpo. Amo tus caprichos, tus humores y hasta tus ojeras, que también son mías. Y me voy adueñando de todas tus maravillas, de tu amor y de tus faltas; y así te hago mía. ❧

Y nuestras bocas se enredaban en un tango
íntimo y oscuro; y pintábamos el número ocho
como en el aire, pero sin aire; y en cada bocanada
nos volvíamos a hundir en los violines de los
brazos, en el compás mudo de la respiración
agitada, en una armonía hambrienta de aromas
y sabores; bailando en la música de cada beso,
hablándonos sin hablarnos. ❧

Que el último enamorado apague la luna
y encienda su alma en llamas, para gritarle
al mundo que aún el amor no ha muerto. ⊕

A veces el alma tiene hambre.
A veces el hambre tiene nombre.

MIND *of* BRANDO

Dicen que siempre se vuelve a Buenos Aires.
Yo pienso que siempre volvería a ti, para amarte
como amo a esta ciudad, que me dejó dejarla
para quererla más. Y cada avenida me llama a
perderme, y en el banco de una plaza encuentro
un tango entre tus labios. Y en el delirio de su
noche busco el aire de tu aliento, como si tuvieras
Buenos Aires ardiendo en tus besos. ❝

Y qué tal si soy tuyo sin anillo ni título. Y qué tal si soy tuyo porque quiero y porque te quiero. Y qué tal si la vida nos encuentra más juntos que casados, más enamorados que morados, más unidos que asociados. Y qué tal si nos queremos sin porqués, sin excusas y sin miedos. Y qué tal si nos hacemos verdad, realidad y luna. ✿

A una mujer de verdad no le vengas con engaños; de besarla sin quererla, de usarla sin amarla. A una mujer de verdad trátala como si fuera la verdad misma, como si fuera el tiempo, como si se acabara la vida en cada beso. ❦

Me he dado cuenta -y no sé si me equivoco-,
de que nuestros besos ya no sueñan con nosotros.
No sé qué día ocurrió, pero lo triste es que ni nos
dimos cuenta. Hay un pedazo de vacío que nos
llena la boca de silencio. Y lo sé sin decirlo,
y me lo dice cada beso, porque los besos
cuando hablan nunca mienten. ✤

La felicidad no es un accidente que el destino te regala a ciegas. Ser feliz es una opción, una puta opción. Así que decídete y sé feliz, y deja de echarle la culpa al mundo por ser tan infeliz. ✿

La espalda de una mujer es un inmenso mundo perfecto. Es una de las pocas partes del cuerpo que ellas no se ven ni tratan de embellecer, y de alguna manera es un área fértil, un vergel para la boca del hombre que se sepa sembrar en su piel. ❡

Tenía miedo. No a lo que estaba por hacer,
sino a no hacerlo. 🌰

A veces con amar no alcanza, hay que decirlo. Y aunque los ojos hablan y también las caricias y los besos, lo que dicen lo hacen en silencio. A veces el amor hay que gritarlo, como si fuera el alma que en sus labios canta la verdad de su querer. ✿

Hay algo bello en la tristeza que nos hace recordar que amamos.

MIND *of* BRANDO

Revoloteaban sus almas en el mismo aire,
como si fueran extraños conocidos. Es que
sentían lo mismo, aun ausentes de tacto.
Sentían el otro en ellos, como se siente la
sangre correr, como se siente la vida misma.
Con esa intensidad invisible que acaparaban
en su pecho, y que a veces confundían con
latidos, con angustia, con nostalgia, con olas
de aire que respiraban con gusto a melancolía.
Pero ese sentimiento constante que buscaba el
alma del otro les daba la certeza de que, al
igual que ellos, la sangre siempre fluiría
hacia el corazón. ✎

Y si me preguntan cómo me gusta el amor,
les diría que complicado, rebelde y valiente,
tierno y salvaje. Largo como tus manos,
dulce como tu boca, tranquilo como un
domingo a la mañana.

Les diría que el amor me gusta mucho,
pero mucho menos que tú. ✦

Vengo a borrar tus miedos con besos.
A acurrucar tu alma en mi pecho.
Vengo a pintarte los días, a sembrar
colores en tu vida. Vengo a ser contigo
en el amor, y que seas conmigo en
el tiempo. ♥

Y hasta la ciudad no sería la misma sin sus pasos, con esquinas sonámbulas sin sus besos. Y algunas sábanas con gusto a amor, impregnadas de nostalgia, los recordarían en cada fibra.

Especialmente en esas noches en que la luna entrara por la ventana, buscando dos amantes que, en su honor, ardieran amor del bueno. ∽

Y si me preguntan de dónde soy,
les diría que de ti. Y a ti es hacia
donde voy, y de donde vengo.
Lo que quiero y lo que soy.

—¿De dónde eres?
—De ella. ❮

Hoy te vi tan ausente que hubiera jurado que todo se había acabado. Como cuando cae la última gota de lluvia. Y sin saber que es distinta a las otras, esa gota es más que lluvia, más que agua, es casi sol. ❧

Y con el tiempo fuimos un poco menos nosotros
y un poco más distantes. Un poco menos amantes
y un poco más cobardes. Y nos empezamos a
perdonar todo, a pasar de largo las discusiones,
a rendirnos sin dar batalla, a pedir disculpas sin
mirar a los ojos, a vivir con rencores y convivir
con culpas, a tapar los errores y negar los fracasos.
Y con el tiempo nos perdimos, y nunca más
nos encontramos. ❧

Aunque lo revivieron en su mente tantas veces, nunca supieron si aquel abrazo había durado ocho segundos, ocho minutos o varias vidas. Porque lo importante de un abrazo no es su duración, sino su sentimiento; el tiempo tibio que vive en la memoria el recuerdo de esos brazos. ॐ

Yo *no* estoy con usted por estar.
Estoy para estar, y quedarme,
y quererla.

❧

MIND *of* BRANDO

Sobra noche, sobra luna y me faltas tú. ک

Perdido en la ceguera de ese amor muerto,
él agarró un montón de besos sin usar y los
metió dentro de una bolsa vieja de recuerdos.
Roció su corazón con lágrimas, y ahí mismo,
le prendió fuego. ❧

Si yo fuera el amor, me tiraría sin paracaídas
del sueño más alto que encontrara; aunque de
alguna manera, eso es amar: un suicidio de dos
almas abrazadas, sonriendo porque ni siquiera
la gravedad del tiempo las pudo matar. ⌒⌣

Tu piel es mía. Es un gran tatuaje con mi nombre.
Con rastros de mis manos en tus manos.
Con retazos de mi amor abrigando tus lunares,
abrazando tus poros, buscando respirar tu aire
en mi aire.

Tu piel es tan mía que, cuando te tocas los labios,
siento tu boca posarse en la mía, como mariposas
jugando con tu primavera en mi cuerpo. ❧

Y si fueras agua o lluvia.
Y si fueras sudor o lágrimas.
Y si fueras el mar o mía. ⌒

Ella lo miraba con la magia con la que un niño contempla un incendio. Sin darse cuenta de la tragedia, encandilada por su luz que ya pronto se extinguiría. Y de sus ojos colgaban lágrimas, como si fueran hiedras asomando de balcones. Y de sus manos nacían racimos de frutas, que buscaban la humedad de su tacto. Y de repente se abrazaban, ardiendo por dentro, celebrando el accidente mortal que sería ese último beso. ✹

A ti, amor imaginado, te entrego el despertar
de una mañana y los besos prometidos que nunca
nos dimos, para que los hundas en el negro de esta
noche y de este vino. Te regalo las fantasías que
nunca vivimos, para que las ahogues en esta
realidad tan vacía de coraje. ❦

Hace trescientos sesenta atardeceres muertos que te espero. Pero entonces llega el alba y me abrazo al tiempo nuevo que también te espera entre mis brazos. Trescientos sesenta atardeceres muertos y ya mismo renace la mañana. Y con eso me sobra, y me faltas. ❧

Quiero hacerte realidad
en la mía.

MIND *of* BRANDO

Él, por primera vez, tenía miedo de que el tiempo estuviera en su contra. Que la vida, como un río, encontrara en sus recovecos indicios de alguna esperanza, y sin querer los ahogara. Y aunque estaba acostumbrado a confiar en el tiempo, sabía que esta vez todo era distinto. Porque, cuando el tiempo se lo propone, no espera; y cuando la vida decide vivir, no hay fuerza que pare a una selva, no hay muerte que pare a la vida, no hay vida que escape a su muerte. ∾

A veces, en las tardes, nos poníamos necios.
Y nos ahogábamos en una vorágine de rabia ciega
que nos acechaba de repente y nos desechaba en
direcciones opuestas; heridos de palabras, golpeados
por el miedo, buscando la razón sin razón.

Y después de la tormenta, el amanecer encontraba
nuestros cuerpos despojados de todo lo malo,
desnudos de prejuicios y juicios y culpas,
curándonos las heridas, besándonos las cicatrices,
amándonos como solo nosotros sabíamos hacerlo
–como dos necios enamorados. ⌒

Perdone la hora, pero aquí me tiene desvelado, pensándola de nuevo. Y aunque usted no me lea hasta la mañana, realmente no importa porque mi amor no tiene horario, pese a que esté acostada aquí a mi lado. Así que siga durmiendo, pero déjeme pensarla otro ratito, antes de abrazarme a sus sueños. ❧

Me gusta el amor dulce y peligroso. De esos que
te pueden llegar a matar. De esos que dan miedo a
enamorarte. Me gusta el amor que pesa en el pecho
y arranca suspiros con gusto a su aliento. Me gusta
el amor de verdad, porque solo conozco una
manera de amar. ✆

Tengo miedo de que el destino nos separe. Que no sepa lo que está haciendo. Que no nos tenga en sus planes. Que no se dé cuenta de lo mucho que te quiero.

Así que te pido el calor de tus manos a cambio del amor en las mías. Porque un amor así no es casualidad, no se puede dejar al azar, divagando en los tiempos del destino.

Un amor así hay que mirarlo a los ojos, hay que abrazarlo, hay que hacerlo realidad. ✦

Abrazando tu ausencia, le escribo a mi tristeza.
Sí, mía. Aunque podría decir que es casi tuya.

Y en el eco de tu voz retumba mi silencio.
Ese que me habla de ti, y que también es mío.

Y me abrazo a esa tristeza y a ese silencio,
y conversamos los tres un rato.

Y les cuento del milagro de tu ojos, de cómo
llevas la sonrisa encarnada en los labios, de
cómo tu pelo rebelde desafía al viento de otoño.

Y al hablarles de ti, sin darse cuenta, la
tristeza sonríe, y la soledad finalmente se
siente acompañada.

Y yo me siento solo, y me siento triste.
Y me vuelvo a abrazar con fuerza al vacío
de tu ausencia. ⌣

Mire, usted me tiene preocupado. La siento
flotando arriba mío. Mientras camino, cuando
como, y hasta cuando la sueño dormido.

Y eso me asusta. Sí. Quererla así. Pues yo no
creo en imposibles, ni pretendo jugar con sus
sentimientos. Y me preocupa que usted no sepa
la gravedad de lo que siento, y en lo que se
está metiendo.

Piénselo bien. Un amor como este es complicado.
Es una cicatriz que besa su corazón en cada latido.
Es un lunar en su piel con cada beso. Es el hambre
pintada en los labios con cada despedida.

Y espero que estas palabras no la asusten mucho,
ya que es mi deber comunicárselas.

Es que, simplemente, me estoy dando cuenta
de lo mucho que la puedo llegar a querer. 🌱

Te miraré así, sin decirte nada. Hablándote con los ojos exhaustos de palabras. Como si todo estuviera dicho, como si la intención fuera clara. Como si el hambre viviera encarnada en la mirada. Te miraré así, diciéndote todo sin decirte nada. ◠

Peor que el silencio de tu amor
es dejar que este amor
muera en silencio.

❧

Voy a amarla por todos los hombres que la amaron;
los que quisieran amarla; y por los pocos que amó.
Pero más que nada, voy a amarla por los que no
la supieron amar, como yo la amo. ✹

Prefiero pensar que no me piensas.
Que no vives o mueres pensando en mí.
Que ni siquiera coincidimos en algún
momento pensándonos el uno al otro.
Porque si supiera que tú me piensas;
si tuviera alguna confirmación; si supiera
que tu insomnio es compañero del mío;
que tu noche tiene mi nombre; si supiera
que nuestras almas andan por ahí juntas,
viviendo el amor que no vivimos...

¿Cómo viviría sabiendo lo que todo este
tiempo me han contado tus ojos?

Es que, aunque tu boca lo niegue, tus ojos
y los míos hace mucho tiempo que se
vienen queriendo a gritos. ✎

Aunque hacían el amor por primera vez, hacía mucho tiempo que venían haciendo amor. Amor con miradas. Amor con sonrisas. Amor con roces y besos escondidos. Amor de cartas y poemas. Amor de canciones y de todas las canciones de amor. Amor de tatuajes. Amor de cicatrices. Amor de los que duelen. Amor de esos que entran a tu casa un día y se quedan a vivir contigo. Amor de los que se escriben en libros. Amor de amantes. Amor de los que hay que vivir y no se pueden contar. Amor de esos que solo se encuentran raramente.

Sí. Amor así. Amor del bueno. ❧

Tu amor es así, como el viento que me acaricia.
Algo que siento venir y nunca llega. Algo así como
la lluvia. Inesperada y bienvenida. Algo que fluye
y no es mío. Algo necesario, como tú y el agua. ✿

Solo el tiempo podrá decirnos si este amor
valió el amor, la pena o el olvido. ❧

Te devuelvo tu calor, tu cercanía y hasta tu olor.
Y también mis manos moribundas y mi tacto lento
y hambriento por tu recuerdo. Y así me despido,
amor, abandonando esta loca idea de amarte.
Prometiéndome no quererte. Desenterrándote
de mis sueños. Desterrándote de mi alma. ❀

Seremos como los pétalos que se abrazan para
ser flor. Como se acurrucan los pájaros en el frío.
Entrelazándonos como una enredadera,
buscándonos al buscarnos. ᵔ

Quizás tu destino es ser el dolor que habita en mi pecho. Quizás mi destino es buscarte en mis manos vacías. Porque aunque te quiera como a la vida misma, quizás solo naciste para imaginarte mía. 🖤

Aunque la vida los separaba,
sus almas se encontraban
en el mismo cielo.

❦

MIND *of* BRANDO

Quiero lo mejor de ti, pero también lo peor.
En realidad lo quiero todo. Lo que te hace soñar,
lo que te hace sentir, lo que te hace vibrar y hasta
lo que te hace insoportablemente tú. Lo quiero
todo porque vive en ti, en ese remolino de luz
que alimenta tu alma. ❧

Ella veía pasar su vida por la ventana del autobús, que a cada segundo la alejaba más de él. Y al ver su futuro destellar en los vidrios, se le empañaron los ojos y se dejó caer; y al hundirse en ese asiento, se ahogó en su propia tristeza. Lloró, lloró mucho. No porque lo perdía, sino porque todavía lo quería. Más que a su orgullo, más que a ella misma. ❀

Me gusta saber que usted me quiere, aunque
le confieso que a veces ni yo me lo creo. Y no
es que no crea en sus sentimientos, no es eso.
Es que aunque sus labios hayan honrado a los
míos, todavía la siento imposible; como cuando
miro sus ojos mirarme, como cuando me invita
a jugar en su piel, como cuando me lleva a ese
sueño en el que vivo despierto en su almohada.

Me gusta saber que usted me quiere,
pero mucho más me gusta quererla. ⸎

Algunos dirían que no fuimos mucho,
incluso que no fuimos nada. Pero yo diría
que por un instante lo fuimos todo. Y lo que
digan los demás qué carajo importa, si solo
nosotros nos conocemos, como los lunares
se conocen con los besos. ❧

Me gustas como para que tu amor venga a quedarse, a hacer huellas, a dibujar caminos, a sembrarse en mi tierra y florecer bajo mi piel. ✷

Quiero que seas más que un amor. Quiero que seas mi amor. Amor para amarte todos los días. Amor para hacerlo; para hacerlo noches, para hacerlo días; para hacerlo un mañana. Un amor para mirarte a los ojos y vivirlo viviendo. «

Y así, entre besos, aprendimos a mirarnos, a conocernos, a querernos. Aprendimos que las manos se entendían en el idioma del cuerpo, que se hablaban en el lenguaje de los labios, que se hallaban más allá de los verbos. Y así, entre pausas y silencios, del amor que nos aprendía, aprendimos aprendiendo. ❦

Pensándolo bien, te diría que de ti aprendí el
despertar de las flores, la paciencia del tiempo,
la humildad del silencio. Es que en tu boca me
enseñaste a apreciar las pausas de la lluvia.
Y aunque a veces no te entienda, aprendí a
quererte como si fuera tu mago, como si fueras
tú mi magia, como si amarte fuera ese truco
en el que muero por creer. ⓥ

Acuérdate de que te quise
cuando éramos nadie,
y juntos éramos todo.

❧

MIND *of* BRANDO

Si sientes mis manos en la noche sin tocarte.
Si encuentras las huellas de mis labios en tu cuello,
y el valle de tu espalda evoca la humedad de
mi lengua.

Si tus senos sedientos invocan las yemas de mis
dedos, y en el epicentro de tus piernas vierte un
susurro dulce con mi nombre.

Si mis recuerdos te tocan como la luna y tus
manos, y la mañana desnuda encuentra tu piel
bien amada.

Ese soy yo en la distancia, esa es mi piel
conversando con la tuya en el tiempo, esas son
mis manos jugando con tu tacto, ese es mi aire
inundando tus labios abiertos.

Ese es mi amor, habitando cada sombra
de tu noche. ✿

Contigo el amor es dolor, y cada cicatriz
es tuya y es bella como tu boca. Y quererte
se transforma en heridas que nacen en mi
cuerpo y sangran poesía.⊷

Gracias por los secretos de tu cuerpo, lo que te agita, lo que te acopla. Gracias por mostrarme tus caminos, por la ofrenda de tu ombligo, por la humedad de tu boca. Gracias por el arqueo de tu espalda, por el abrazo de tus piernas, por la curva de tus hombros. Gracias por navegar mi marea, por desembocar en mis labios, y ahogarte en mis olas. 🌿

Debo confesar que me gusta tu boca cuando
pronuncia mi nombre. Porque en la carne tibia
de tus labios soy más tuyo, y en la humedad de
tu lengua sé que ya eres mía. Y te diría que
de tu boca me gusta todo, hasta tus silencios
y tus pausas, pero lo que más me gusta es
ser la razón de tu sonrisa. ✍

Del otro lado de la cama, tus latidos no me dejaban dormir. Llamaban a mi lado oscuro. Y en el claroscuro que pintaba en tu piel la penumbra, mi deseo y yo nos convertíamos en tu ofrenda. Hundidos en la noche, tus curvas bailaban en las yemas de mis dedos, al compás de mi alma que vibraba ciega, bajo el poder absoluto de tu música. ❧

El domingo se hizo para calentar sábanas tibias.
Para que los pies se encuentren sin verse.
Para que la intimidad sea bañada por la mañana.
Para encontrar tu cuerpo dormido y descifrar
el clima de tu boca. Para sentir mi corazón latir
en el sol de tus ojos. «

Y cuando la noche me soltaba de tus bellas garras, me vestía como podía con los vestigios de tu nombre. Y al salir a la calle bañado de tu luz, los pájaros y el amanecer celosos me cantaban tus versos por mi dicha. Es que llevaba tu piel, tu boca, y hasta pedazos de luna, incrustados en los ojos. ✧

Nosotros nunca nos besábamos; nos comíamos las bocas. Como tratando de ahogar el hambre. Como para que el gusto de los labios del otro se quedara tatuado en la carne. ✿

Los fuegos se apagan con besos.
Los besos se pagan con fuego.

✦

Nunca sería tarde cuando tenía tanto mundo por quererla, pensó él. Y aunque ese mundo se alejaba en cada paso, él se aferraba a la certeza de que ella existiría en su luz algún día. Aunque fuera de espaldas, aunque fuera de lejos, aunque fuera en el calor de su mano que ya se extinguía en el viento.

Y al nublarse ella en sus ojos, se dio vuelta, respiró hondo y entre latidos empezó a caminar, porque aunque estuvieran yendo por distintos caminos, él sabía que terminarían en el mismo lugar. Y con saberlo, el tiempo ya no importaba. ⊛

Vengo a declarar que lloro.
Porque es de hombre llorar.
Pero no me malinterpreten,
no es que llore mucho,
ni de una manera desgarradora,
con gemidos y mocos
y toda esa convulsión
desatada de emociones.

No. Lloro en silencio,
como si cada lágrima necesitara paz.

Lloro inmóvil, a cuentagotas
y sin desperdicio,
dejando que sean solo mis ojos
los que derramen sus razones.

Lloro sin secarme las lágrimas,
para que caven surcos en la gravedad
de mis mejillas.

Lloro como se debe llorar,
como el que sabe por qué llora,
como si cada lágrima valiera su peso,
su pena y su dolor. ≶

Cuándo entenderemos que no todo dolor es malo.
Que no toda alegría es buena. Que el mar sin sal,
es solo agua de lluvia. ∾

No tengo más venganza que escribirte, con
la esperanza de que algún día ya no te quiera.
Y que ese mismo día, me empieces a leer y
te enamores de cada uno de mis versos. ❁

Hoy comienzo a morir de a poco. Comienzo a
buscarte en las sombras de mis días. Comienzo
a escuchar la memoria de tu voz perdida.

Hoy mi corazón llora a gritos en un latido mudo.
En nuestro tiempo que ya no es nuestro. En un
nosotros, en el que ya no somos.

Hoy me alimento de tus recuerdos, tus vacíos
y tu ausencia.

Hoy ni siquiera mi soledad quiere mi compañía. ❧

Llora tres días y dos noches,
no más de eso.

Y entonces aprende a quererte;
o mejor ámate, sí.

Y cuando sepas hacerlo
como nadie lo ha hecho,

píntate los labios de una boca
que te quiera en todos tus colores. ✺

Te fuiste de mi vida
y me enseñaste muchas cosas.

Me enseñaste cómo se siente
morir y seguir viviendo. ❧

Tú no lo sabes todavía, pero esta es la última vez que te escribo. La última vez que te encuentro en mi insomnio. La última vez que te busco en mi cama vacía.

Pero si tus ojos me miran. Si me miran y se posan en los míos, aunque sea por un segundo, solo me basta ese segundo para volver a quererte. 🎵

*No tengas miedo a que un
buen amor te mate.*

*Ten miedo a no vivirlo
y morir pensando en
lo que hubiera sido.*

MIND *of* BRANDO

Y la mañana irrumpía por la ventana empapando
nuestras verdades y escurriéndonos de la cama
al mundo. Y tratábamos de arreglarnos, aunque
no estuviéramos rotos; mirándonos de reojo,
recordando las mismas caricias, reviviendo
los mismos sonidos en las mismas sombras.
Y la ciudad entraba por la ventana del baño
y nos encontraba lavándonos los besos de la
cara, enjuagándonos los gemidos de la piel,
despojándonos de toda esa desnudez que la
noche nos había pintado; y así nos vestíamos
de ropas que camuflaban lo que éramos, y
salíamos en silencio hacia una realidad que
nos arrojaba a la calle a fingir que no hubo
amor, en todo el amor que habíamos hecho. ✹

Te equivocas cuando piensas que no sangran
tus heridas. Cuando crees que tus vacíos no
me llaman. Cuando imaginas que ya no te
encuentro en todo lo mío.

Y ya tus cosas no son tuyas y mucho menos
son mías, pero me miran y me llaman en una
voz como la tuya.

Y nos perdemos en los ecos de tanto tiempo
extinguido, entre todo lo perdido que ya no
florece en nosotros.

Y aunque ya eres cenizas, todavía te siento
fuego, ese del que fue mi vida, ese que se ahogó
en el tiempo.

Y no sé mucho pero sé que te equivocas
cuando piensas que no sangran tus heridas. ✺

Cuando la lluvia caiga sin sonido y el río
ya no grite su cauce. Cuando las hojas secas
no murmuren pasos y el viento no acaricie
los árboles.

Cuando el vacío se llene de silencio, yo te
escucharé con mis ojos, te hablaré con mil
miradas; y, con una sonrisa en los párpados,
comprenderás que las palabras sobran cuando
dos almas se buscan en el aire mudo de
la noche. ⬿

Te siento en todo el silencio de un secreto,
en toda la anticipación de un beso, en todo
el tiempo que dura un recuerdo.

Te quiero en todo lo invisible que nos llama,
en todo lo intangible que nos une, ante toda
la inmensidad que nos separa. ❧

Una mujer dormida exhala magia, dibujada
en un lienzo de sábanas y sueños, envuelta en
un bosquejo de sombras y silencios, respirando
matices oscuros que invocan a mis manos y
mi boca.

Y ante mi deseo que corrompe tu belleza inerte,
prefiero contemplarte así; como si mi aire te
abrazara, como si fueses tú mi arte, como si te
pintara sin tocarte con mis ojos y la noche. ❦

Ella lloraba.

Lloraba y de sus ojos vertía el tiempo,
los sueños, y un amor perdido que se
escurría en cada lágrima.

Y se acurrucaba en sus propios brazos,
aferrándose a su pena, abrazándose a
su dolor, como si no lo quisiera dejar ir,
porque lo que le dolía era él, y también
era él lo que latía en su pecho, lo que
buscaba su tacto, lo que sentía en la
memoria en cada poro de su piel.

Y cuando la razón no razona y el
corazón no calla, las palabras no
alcanzan para expresar todo el amor
que lloraba su alma. Es que bien sabía,
que aunque con el tiempo volvería
a querer, jamás volvería a amar. ❧

Y un día él se prometió no volver a soñarla. Y como era un hombre de palabra, nunca más volvió a dormir.

Días después lo encontraron ahogado en su insomnio, inmóvil, con los ojos abiertos, y con una sonrisa casi tatuada que solo hablaba de ella. ᴥ

¿Y si me preguntan si eres mi amante?
¿Y si me preguntan quién me roba las noches
y me devuelve la luz del día?

Es que nunca más quiero arrancarme tus besos
de los labios. Nunca más quiero negar tu nombre
en mi boca, ni negarle a mi boca el sonido de
tu nombre. ❀

Pronto seremos. Lo sé.

MIND *of* BRANDO

Aquí estamos,
enredados en amores.
Desatando besos.
Tejiendo en nuestros
nudos corazones. ♥

El otoño me recuerda a ti.
Tantas hojas muriendo.
Tantos árboles queriendo volver a vivir. 🦎

Te cambio versos por besos.
Te cambio letras por piel.
Te cambio puntos y comas
por tu boca y un tal vez.

Te cambio noches por mañanas,
para amanecer en tus ojos. ∽

Y al cerrar los ojos, ella se daba cuenta de que el mundo paraba en sus besos, que entre sus labios no tenía más miedo. Porque finalmente entendía que todos los temores que agitaban su alma morían en silencio en la paz de su boca. ❧

En cada mujer vive un secreto. Algo tan grande
como su mundo. Tan íntimo como sus senos.
Tan valioso como su vientre o el tiempo.

Y algunas llevan ese secreto aferrado al pecho;
y se visten de él como capa o coraza, como sonrisa,
como tristeza o melancolía.

Y si te fijas bien, si le prestas atención, puedes
ver su secreto viviendo en las pausas de sus ojos.
En el idioma en que sus manos hablan con el aire.
En la rebeldía en que su pelo desafía al viento.

Y ese secreto está forjado de lo que hicieron,
lo que quisieron, lo que amaron, lo que fue, lo
que nunca fue, y sobre todo, de lo perdido.

Y en la inmensidad de ese secreto, vive, convive
y sobrevive una mujer. Esa que afronta la lluvia,
la que arremete contra el viento, la que defiende,
la que atesora, la madre que habita en todas.

En cada mujer vive un secreto, algo que emana
en su luz, algo que anida en su sombra, algo que
muere en palabras, más allá de su boca. ❧

Voy a abrazarme a los pájaros; revolotear por los techos, acariciar las cúpulas, y un par de nubes disfrazadas de bruma. Y por el aire llegaré a ti con mis alas y el sol; en caída libre y con los brazos abiertos; gritándole al cielo todo lo que siento. ❧

Cuando nos sobra el amor, nos falta el coraje. ⁓

En el dolor habita una belleza
que solo las cicatrices enseñan. ༄

Seremos solo la pena
de no haber sido.

❧

MIND *of* BRANDO

Te devuelvo mil poemas y mil lunas,
y un dolor rojo con sabor a sal.

Para que te pinten en los labios corazones.
Para que me sientas como océano en tu sed.
Para me encuentres en tus memorias perdidas,
viviendo en cada poro de tu piel.

Te devuelvo mil poemas y mil lunas,
tres promesas, dos almas, y un café. ∞

Quiero despertarme contigo,
y sentir tu mañana lloviznando en mí.
Quiero nacer de la humedad de tu boca,
y encontrar tu marea acariciando mi arena.
Quiero ahogarme en tu mar dulce, mujer,
y renacer como lluvia de otoño en ti. ∾

Amor, no me pidas permiso.
Toma lo que quieras.

Abrázame,
bésame,
muérdeme,
cómeme,
rómpeme.

Y cuando termines conmigo,
no me pidas disculpas. ✺

Entre todo y nada te encontré.
Y justo ahí aprendí a quererte.
Entre mañanas y otoños,
entre gemidos y sombras,
entre el calor de mis manos
y tu piel desnuda. ∾

Si te animas nos matamos,
nos desgarramos las intenciones,
nos ahogamos el aliento.

Si te animas nos mordemos
las ganas de los ojos,
y nos desvelamos las manos.

Si te animas nos hacemos,
nos deshacemos
y nos rompemos. ✍

Quiero encontrar eso que te hace cerrar los
ojos y sentir. Eso que hace que mueras de a poco.
Eso que te corta el aire. Quiero descubrirlo en
un espejo. Y que ese espejo sean tus ojos. ✦

Estaba tan cerca, que ya no te veía toda.
Y empezaba a verte en partes, con un ojo y después
con otro. Y nos acercábamos en cámara lenta a
un accidente premeditado. Y nuestras narices
se esquivaban en el momento justo, como si
lo hubieran hecho muchas veces, quizás
imaginándonos en un instante parecido a este.
Y mis labios empezaban a sentir el calor de
tu aliento, a degustar tu aire con un hambre añeja.
Y detrás de tus párpados te lanzabas a un abismo
oscuro porque querías sentirte viva. Y la tensión
y la anticipación simplemente se disipaban, se
escurrían entre mis labios húmedos y tu boca tibia.
Y mi lengua te profanaba, y la tuya me buscaba
tentativa pero después decidida. Y yo abría los ojos
y te encontraba inmersa en esa vorágine de gustos
y sonidos mudos que hacíamos nuestra. Y trataba
de imaginar lo que veías detrás de tus ojos, y
de repente tu lengua me llamaba a arrojarme a
tu corriente, a no necesitar pupilas para verte
con mis labios. Y nuestras bocas se acoplaban
como conociéndose, como entendiéndose, como
aprendiéndose, porque no les importaba quiénes
éramos, de dónde veníamos o a dónde íbamos.
Porque así eran bocas, y juntas, eran mucho
más que besos. ❧

A mí no me traigas flores, no me enamores con
canciones, regalos o cenas de aniversario.

A mí, mejor, dame tu voz, regálame tu boca,
envuélveme en tus brazos, y déjame amanecer
mordiéndome los labios empapada de tu piel. «

*El amor
no hay que planificarlo.
Hay que hacerlo.*

❧

Y me bebí una lágrima,
y era dulce porque te amaba,
y amarga porque ya no estabas. ❧

Vengo a llorarte un río pálido, de besos tiernos
y lágrimas de arena. Vengo a sumergirme en el
mar de tus recuerdos, para encontrarte viviendo
aquí, llenando los vacíos de mi tiempo.

Vengo a refugiarme en ti, en un abrazo sin final,
con tus manos blancas enredadas en mi pelo,
con tu voz de colores susurrando mis verdades,
con un beso en la frente firmado en tu sonrisa.

Aquí me tienes en el umbral de tu vida,
queriéndote más que nunca, perdiéndote
aunque no quiera perderte.

Aquí me tienes, la que sin ti no ve, la que
se busca perdida en tu mirada, la que viene
a acariciarte los párpados. Aquí me tienes,
la niña de tus ojos. ᛤ

Un día cualquiera, descubrí que te quería.
Te quería en la única vida que tengo para ofrecerte.
Y hoy, aquí me tienes, esperando tu respuesta,
con todo el amor que tengo marchitándose
en el tiempo. 🖋

No pienses ni por un momento que en mi silencio
te quiero menos. No creas que porque me alejo no
te siento aun más cerca. No dudes de que todavía
eres eso que habita en mi pecho. Eso que llama mi
boca cuando calla. Eso que busca mi alma cuando
se siente perdida. ❁

Tus ojos tienen una tristeza inimaginable.
Del tipo que nunca le he visto cargar a nadie;
de esas que te cubren el rostro, que te lo cambian,
que te pintan sombras en los párpados y te ahogan
las pestañas. Tus ojos tienen la tristeza de un mar
de invierno y la melancolía del otoño abrazadas.
Tus ojos dicen lo que han vivido, lo que han
sufrido y lo que nunca han llorado. ❀

No hay destino más cruel para el amor que ser asesinado por el tiempo. Que el paso de los días lo ahogue imperceptiblemente hasta dejarlo sin aire, sin alas y sin sueños. ❧

Caminábamos. Caminábamos sin rumbo. Caminábamos por caminar, por el solo hecho de estar juntos. Y si nos encontrábamos las manos, no importaba, y si se hablaban las miradas tampoco, porque con respirarnos de a ratos nos alcanzaba. Caminábamos buscándonos, esperando que el destino nos llevara a un mismo beso, en una esquina de una misma vida. ✿

Cuando el mundo se desmorona a tus pies,
no queda más que subirte a los escombros
y ver el sol amanecer en tus ojos. 🝙

*Siempre habrá
el mundo y
el tiempo.*

*Pero tú,
tú eres el hoy
y el siempre.*

MIND *of* BRANDO

A veces las cosas se terminan.
Y cuando se acaban, te das cuenta
de que hacía mucho tiempo que todo
había muerto. Tú, simplemente,
te negabas a reconocerlo.

A veces el final es la llegada
y el comienzo. ❧

Un suspiro no es el tiempo que dura.
Es el tiempo en que madura, para ser. ✺

Hay un lugar en tu cuerpo donde viven mis letras en silencio. Y bajo el ritmo de tu corazón sonámbulo permanecen tibias, habitándote.

Hay un lugar en mis letras donde vive tu piel y se escriben los minutos del tiempo. ✒

Qué importa si el mundo nos quiere,
si tú me quieres como yo te quiero. ❀

Andábamos en la vida por diferentes rumbos pero en el mismo camino. Y un día el tiempo nos encontró lado a lado, mano a mano. Y los ojos se miraron, y ahí mismo entendieron que habíamos llegado a donde estábamos yendo. Que el destino éramos nosotros mismos, era ese lugar en los brazos del otro, que solo nosotros conocíamos. ❧

Vales la pena de cualquier consecuencia. ❧

Y aunque pensaba que ya lo había perdido, que ya no sentiría su voz bañándole la piel cada mañana, todas las noches lo sentiría acariciándole el pelo hasta que se quedara dormida. Y abrazándola en un sueño, él la besaría en silencio, y en ese simple beso, le diría que la amaba. ☙

Somos eso que nunca dijimos. Eso que llevamos
a cuestas. Eso que nos duele en el cuerpo y nos
carcome el alma. Somos eso, y un nudo mudo
que sonríe al mundo. ֍

El amor cree en ti.
Devuélvele el favor.

MIND *of* BRANDO

La vida sigue; y con el tiempo las heridas duelen cada vez menos. Y llega un momento en que te olvidas del dolor, de su causa y de su efecto. Y tu corazón se abraza al olvido y te ayuda a negar tu pena, tus cicatrices y tus miedos. Y en un acto de locura, tu alma vuelve a querer querer; y abres los ojos ante el precipicio del amor, y con la última sonrisa que te quedaba, te abrazas al aire y te lanzas a amar. ❦

Qué importa esperarte un ratito, cuando hace más de una vida que nos venimos queriendo encontrar. «

Déjame darte un beso,
de esos que no se olvidan,
ni en otros labios,
ni en otras noches,
ni en otras vidas. ✿

Lo que sueñes no importa, lo que importa
es alguien que crea en tus sueños,
y sueñe contigo en ellos. ❧

Él le miró las manos, imaginando todo lo que habían anidado en su tacto. Caricias, lágrimas, cartas de amor y alguna que otra carta de despedida. Cuánta magia vivía en ellas, pensó.

Y ahí mismo agarró sus manos, y en el intercambio de tactos, de temperaturas, los dedos de ella respondieron entrelazándose con los de él, dejando que las yemas se contaran su cariño; como si se reencontraran, como si ya se hubieran querido. ❧

Quiero amarte como si te fueras a acabar, como si
te fuera a perder, como si nunca te hubiera tenido.
Quiero amarte así, como si no existiera yo sin ti. 𝓔

Siento que escribo recuerdos de un alma que no es la mía, y que ni siquiera es de mi tiempo. Y esas memorias las veo desde otros ojos que las vivieron, en la pluma de otras manos, escribiendo la vida de otras vidas, en las que algún día fuimos uno. ❧

Si en algún momento se te cruza alguien que te sacude el alma, agarra su mano, abrázate a sus besos, empápate en su tiempo. Aunque sea por un ratito, de esos que duran toda una vida. ✦

Hay tantas formas de querer,
y solo tú.

❧

Con la boca besa cualquiera. Por eso hay que besar con el cuerpo y el hambre. Hay que besar como para que te quede una marca en los labios y en el alma. ✿

¡Apúrate amor! Que a mi vida le urge amarte. Y no es que esté apurado, es que hace mucha vida que te estoy esperando. 🖤

Somos de aquel que amamos en silencio. ❀

Se aprende mucho más de las derrotas que de las victorias. Porque los fracasos se quedan a vivir contigo, a mirarte de reojo de vez en cuando y a recordarte que están ahí, que fueron, y que son. ❧

Cuando la vida nos sonríe, debemos compartir
nuestra sonrisa con el mundo. ❦

A mi madre

De tus ojos nace el mundo. Es que de alguna
manera tu mirada fue siempre mi verdad, mi
brújula, mi espejo. Un profundo lugar donde
volver, para volver a ser. ❧

Quiero decirles que no soy yo el que escribe.
Que no soy poeta, ni escritor, ni nada por el estilo.
Que un día cualquiera me senté a escribir unas
líneas, y sin pensarlo empecé por una palabra:
"Ella". Y no la escribí porque quería, lo hice
porque tenía una necesidad en el pecho que
me devoraba la vida.

Y cada vez que escribía me sentía como si no fuera
yo, como si estuviera en una especie de trance,
en otro tiempo, en algún lugar donde alguien
dibujaba mis versos. Y es por eso que hoy vengo
a confesar que no soy yo el que escribe.

Vayan y busquen al verdadero poeta en algún lugar,
hace ciento treinta y cinco o doscientos cuarenta y
siete años. Busquen a alguien que ama, que sangra
sentimientos en palabras. Vayan y cuéntenle de mí.
De su impostor. Y díganle que venga a su futuro
a buscar su alma, que iré a su pasado a buscar
a su amada.

MIND *of*
BRA
NDO